D0811423

Retiré de la collection
de la Ville de Montréal

Nous remercions le ministère du Patrimoine canadien,
la SODEC et le Conseil des Arts du Canada
de l'aide accordée à notre programme de publication

Patrimoine canadien | Canadian Heritage

Conseil des Arts du Canada

Canada Council for the Arts

ainsi que le Gouvernement du Québec
– Programme de crédit d'impôt
pour l'édition de livres
– Gestion SODEC.

Nous reconnaissons l'aide financière
du gouvernement du Canada
par l'entremise du Programme d'aide au développement
de l'industrie de l'édition (PADIÉ) pour ce projet.

Illustration de la couverture
et illustrations intérieures:
Jean-Paul Eid

Couverture:
Conception Grafikar

Édition électronique:
Infographie DN

Dépôt légal: 3e trimestre 2005
Bibliothèque nationale du Canada
Bibliothèque nationale du Québec

123456789 IML 098765

Copyright © Ottawa, Canada, 2005
Éditions Pierre Tisseyre
ISBN 2-89051-949-X
11172

UNE SORTIE D'ENFER!

DE LA MÊME AUTEURE
AUX ÉDITIONS PIERRE TISSEYRE

Collection Papillon

La clé mystérieuse, roman, 1989.
Togo, roman en collaboration avec
Geneviève Mativat, 1993.
Voyageur malgré lui, roman, 1996.
La folie du docteur Tulp, roman en collaboration
avec Daniel Mativat, 2002.
Le grand feu, roman, 2004.

Collection Sésame

Dans les filets de Cupidon, roman, 1998.
Le sourire de La Joconde, roman, 1999.
Un cadeau empoisonné, roman, 2000.
Le chat de Windigo, roman, 2003.

Collection Safari

Le train de la liberté, roman, 2004.

Données de catalogage avant publication (Canada)

Boucher Mativat, Marie-Andrée, 1945-

Une sortie d'enfer !

(Collection Sésame ; 79)
Pour enfants de 6 à 9 ans.

ISBN 2-89051-949-X

I. Titre. II. Collection : Collection Sésame ; 79.

PS8576.A828S67 2005 jC843'.54 C2005-941227-5
PS9576.A828S67 2005

Marie-Andrée Boucher Mativat

Une sortie d'enfer !

roman

**ÉDITIONS
PIERRE TISSEYRE**

5757, rue Cypihot, Saint-Laurent (Québec) H4S 1R3
Téléphone: (514) 334-2690 – Télécopieur: (514) 334-8395
Courriel: ed.tisseyre@erpi.com

À Clovis, Héloïse
et Raphaël

1

DÉPART HOULEUX

Un soleil frileux hésite à s'extirper des nuages. Dans le hall de l'école Sainte-Angèle, les élèves s'impatientent.

La tuque enfoncée jusqu'aux yeux, raquettes au dos, patins à l'épaule, Raphaël trépigne:

— Qu'est-ce qu'il fabrique, le chauffeur ? L'autobus devrait être arrivé !

— J'ai chaud ! se lamente Clovis en lançant ses mitaines par terre.

— J'ai soif ! renchérit Héloïse.

L'institutrice, Ginette Guindon, surnommée « Dynamite » à cause de son caractère explosif, intervient :

— Nous allons partir bientôt.

— Ça fait une demi-heure que tu nous dis ça ! lance Raphaël.

— Parti comme c'est là, on n'aura pas le temps de glisser sur les chambres à air.

Béatrice secoue ses nattes rousses.

— Clovis a raison. Le temps d'arriver au centre de plein air, il va déjà être l'heure de revenir.

— J'ai mal au cœur, gémit Gabrielle.

Mademoiselle Guindon se tourne vers Julie, la stagiaire.

— Je te les confie. Je vais aller téléphoner à la compagnie de transport.

La jeune fille prend une attitude autoritaire.

— Ne t'inquiète pas, tout va bien se passer. N'est-ce pas, les amis ?

Mademoiselle Guindon n'a pas sitôt quitté le hall que la classe se déchaîne.

— Héloïse m'a poussé.

— Il m'a traitée de girafe morveuse !

— C'est elle qui a commencé ! proteste Clovis.

— C'est même pas vrai !

— Menteuse ! Elle a dit que je ressemblais à un castor à lunettes.

— Je ne trouve plus mes gants !

— J'ai faim ! Est-ce que je peux manger ma collation ?

La stagiaire refuse catégoriquement.

— Mais j'ai faim, moi.

Raphaël intervient :

— Es-tu sourd ? Qu'est-ce que Julie vient de te dire ?

— Toi, on sait bien, toujours d'accord avec Julie. Moi, je suis sûr que Ginette voudrait, elle.

— J'ai envie...

Gabrielle se lamente de plus belle :

— Moi, j'ai mal au cœur.

— ÇA SUFFIT ! tonne l'institutrice, de retour du secrétariat. Tout le monde en rang. On retourne en classe et je ne veux pas vous entendre !

Julie se penche à l'oreille de sa collègue.

— Qu'est-ce qui se passe ?

— Après la nuit glaciale qu'on a eue, les autobus refusent de démarrer. La personne à qui j'ai parlé m'a promis de faire l'impossible pour nous envoyer un véhicule, mais je n'ai pas grand espoir.

— Aïe ! Aïe ! Aïe !

— Tu l'as dit ! Je donnerais mon âme au diable, et celles des enfants par la même occasion, plutôt que d'être obligée de leur annoncer que la sortie est annulée.

La stagiaire a un mouvement de recul.

— Tu te rends compte de ce que tu dis-là ?

Ginette Guidon s'étonne.

— Quoi ? Ne me dis pas qu'à ton âge tu crois encore au Bonhomme Sept Heures et à toutes ces histoires de grands-mères ?

Julie cache ses mains derrière son dos et croise les doigts.

— Moque-toi si tu veux, en tout cas, moi, je préfère ne pas tenter le diable.

— Ginette ! Ginette ! lance Clovis, l'autobus arrive !

Derrière les grandes portes vitrées, les élèves admirent le véhicule qui manœuvre dans l'allée.

— Wow ! Tout un bolide !

— Vous avez vu les flammes rouges peintes sur les côtés ?

— On dirait une réclame de croustilles à saveur de barbecue extraforte !

— Assez forte pour faire fondre la neige sous les pneus, note Raphaël.

C’est alors que la porte du véhicule s’ouvre sur le chauffeur.

2

DRÔLE DE CHAUFFEUR

Vêtu de noir et coiffé d'une haute casquette, l'homme entre dans l'école. Ses petits yeux ambrés se posent sur Dynamite. Avec assurance, il lui tend une main gantée.

— Vous m'avez demandé. Me voilà.

CHAUFFEUR

— Vous ne pouvez savoir à quel point je suis contente de vous voir !

— Pas autant que moi ! murmure le chauffeur d'une voix mielleuse.

La jeune femme rougit.

— Heureusement qu'il reste encore de bons diables comme vous !

— Vous êtes trop gentille. Il est si rare d'être apprécié à sa juste valeur, lance le nouveau venu en arborant un sourire ensorceleur.

Avec l'air du chat qui découvre un bol de crème, il fait le décompte des enfants.

— Trente-trois ! Je suis ravi d'avoir répondu à votre appel. Ce n'est pas tous les jours qu'il m'est donné de prendre sous mon aile autant de petites âmes à la fois. Ma quête quotidienne étant terminée, nous pourrons donc musarder en chemin.

— Il y a longtemps que vous conduisez des autobus ? intervient la stagiaire.

— En fait, c'est la première fois. Habituellement, je me déplace à cheval ou en canot, mais fiez-vous à moi pour vous mener rapidement à destination.

— Veux-tu bien me dire d'où il sort, celui-là, marmonne Julie, mi-figue, mi-raisin.

— Il peut arriver du diable vauvert, chuchote sa compagne, il est là, c'est tout ce qui importe.

— On y va ? suggère Raphaël.

— Ouais, ajoute Clovis, vaudrait mieux partir, si on veut arriver !

Les enfants se précipitent dehors. Le froid griffe les joues !

Dans une joyeuse bousculade, skis, raquettes, patins disparaissent au fond de la soute à bagages. Garçons et filles montent à l'assaut de l'autobus, pressés de se disputer les banquettes.

— Attention aux portes ! lance le conducteur.

À l'intérieur du véhicule, la chaleur est infernale. Mademoiselle Guindon s'éponge le front tout en multipliant les recommandations :

— Clovis, assieds-toi !

— Raphaël, baisse le ton !

— Héloïse, retourne à ton siège ! Elle remonte l'allée.

— À vos place, que je puisse vous compter. 1-2-3-4-5-6-... Clovis, laisse les nattes de Béatrice !... 17-18-19-20. Alain, cesse de donner des coups de coude à Martin ! Où en étais-je ? Bon, je recommence !... 1-2-3-4-5-6-7-8-9-10... Mélanie, j'ai dit : « Assis ! »

Taquin, Raphaël reprend à haute voix :

— 16-17-23-15-18-20...

Une lueur terrible s'allume dans l'œil de Dynamite. Le feu est aux poudres et la mèche plutôt courte. Raphaël choisit donc de se faire oublier.

— Ils sont tous là ? s'inquiète le conducteur.

— Il n'en manque aucun !

— Parfait !

L'homme se frotte les mains et démarre si vite que l'institutrice est violemment plaquée contre son siège d'où elle surveille l'odomètre. La petite aiguille grimpe, grimpe, grimpe… 70… 80… 90… 100… 110… 115… 120…

— Chauffeur, vous roulez trop vite. Ralentissez !

Sans un regard pour son interlocutrice, l'intrigant personnage questionne à la cantonade :

— Vous trouvez que tonton Lulu va trop vite, mes agneaux ?

— Nooonnnn ! proteste en chœur les élèves.

— Vous avez peur ?

— Nooonnnn !

— Vous aimeriez que tonton Lulu vous chante une petite chanson ?

— Ouiiiiiiiiiii ! applaudit la classe.

Sans se faire prier davantage, le conducteur s'exécute :

Au lieu de rester
À l'école à s'ennuyer
Le diable est venu les chercher…
C'était un jour d'hiver
Les grands froids
Leur mordaient les pieds…

— Moins fort ! proteste Mlle Guindon.

L'interprète hausse les épaules et poursuit son refrain :

Alors le grand Satan
Dans un tourbillon de brasier
Tous et chacun a emportés

Les enfants ont le diable au corps. Ils battent des mains et tapent du pied au rythme de cette nouvelle version du succès de Claude Dubois.

L'autobus fonce à un train d'enfer ! Tanguant dangereusement dans les virages, il grimpe la montagne à tombeau ouvert.

Les excursionnistes poussent de grands OOOOOOOOOHHHHHH,

comme s'ils montaient un manège de La Ronde.

— J'ai mal au cœur, se lamente Gabrielle.

Assis à ses côtés, Raphaël s'inquiète pour son bel habit de ski tout neuf. Il commence à trouver que le chauffeur dépasse les bornes !

3

UN GAGE POUR LE VOYAGE

La titulaire est aussi de cet avis.

— Enfin, monsieur, où diable avez-vous appris à conduire?

Julie intervient à son tour:

— Avez-vous seulement votre perm...

D'un geste, le conducteur clôt le bec aux deux femmes et reprend le micro.

— Alors, mes petites âmes, vous êtes certaines de vouloir aller vous geler sur les pentes ? Tonton Lulu connaît des façons beaucoup plus amusantes de passer la journée. Qu'en dites-vous ? Vous vous laissez tenter ?

— Ouiiiiiiiiiiiiiiiiiii !

— Dans ce cas, vous allez devoir me donner un gage. Je ne serai pas exigeant. Je me contenterai de vos croix ainsi que de vos médailles.

Amusés, les enfants déposent leurs chaînettes dans la tuque de Clovis. Sauf Raphaël. Celui-ci dissimule dans une de ses poches une petite croix d'argent, cadeau de ses grands-parents.

Il se félicite de sa décision lorsque, quelques minutes plus tard, incrédule, il voit le chauffeur balancer le bonnet de Clovis sur la route.

— Eh ! Monsieur…

Une lueur rougeâtre emplit le véhicule tandis qu'une odeur de soufre s'insinue partout.

— Ça pue ! J'ai mal au cœur, pleurniche Gabrielle.

Semblable à un cheval emballé, l'autobus accélère encore.

Rien ne ralentit sa course. Ni la poudrerie, ni les trois voitures de police lancées à sa poursuite. D'une seconde à l'autre, il va entrer en collision avec un camion-citerne renversé en travers de la route.

Seul Raphaël semble conscient du danger et fixe intensément Julie, espérant ainsi attirer son attention. En vain. Autour de lui, ses camarades chantent ou s'amusent des blagues du conducteur.

Raphaël, lui, pose sa tête sur ses genoux en se protégeant de ses deux bras et retient son souffle. Mais voilà qu'à une seconde de l'impact, l'autobus décolle de la route glacée pour s'élever doucement dans les airs, sous les applaudissements des enfants, envoûtés.

— À partir d'ici, mes petites âmes, ouvrez grands les yeux! Si vous voyez un clocher à l'horizon, vous prévenez tout de suite tonton.

Les cris des sirènes s'éloignent. Le roulement de l'autobus se fait de plus en plus doux. Le père de Raphaël, qui se plaint constamment du mauvais état des routes, dirait qu'ils roulent sur un nuage.

Le garçon relève la tête. Il n'en croit pas ses yeux!

— On vole! L'autobus vole!

Dans le tumulte ambiant, cette constatation ne semble ébranler

ÉCOLE

personne. Raphaël secoue énergiquement sa voisine.

— Gabrielle, réveille ! Tu ne vois pas ce qui se passe ?

La fillette hausse les épaules.

— Je ne sais pas de quoi tu parles. Tout ce que je sais, c'est que j'ai mal au cœur !

Raphaël doit se rendre à l'évidence : à part lui, tous les passagers sont prisonniers d'un même sortilège.

4

LE QUÉBEC VU DES AIRS

— Alors, les diablotins, ça vous plairait de faire un peu de tourisme?

— OUAIIIISSSSSSSSSS!

— Tonton Lulu se sent généreux aujourd'hui, il vous offre un petit tour du Québec. Ça vous donnera de quoi rêver pour l'éternité. Et, croyez-moi, là où vous serez, vous apprécierez.

En bas, voici l'Estrie, ses ponts couverts, son canard du lac Brome... Délicieux... Son monstre du lac Memphrémagog... Hideux! C'est le coin que je préfère pour jouer à saute-montagnes.

Sur ce, l'autobus exécute un premier saut par-dessus le mont Orford, suivi d'un autre par-dessus le mont Sutton! Et, allez, hop! Un troisième par dessus l'observatoire du lac Mégantic.

— Pas mal plus drôle que les glissades sur chambres à air, non?

— Super!

— Cool!

— J'ai mal au cœur, geint Gabrielle en croisant les bras sur sa poitrine.

Raphaël, lui, se fait du souci pour Julie ainsi que pour Dynamite. Habi-

tuellement prompte à la détente, son enseignante demeure silencieuse. Cela ne lui ressemble pas.

L'autobus effectue un virage subit, franchit la Beauce, semant la panique de Saint-Georges à Sainte-Marie.

Rapidement, le pont de Québec se profile à l'horizon.

Imitant l'habituel boniment des guides, le chauffeur annonce :

— Mesdames et messieurs, *Ladies and Gentlemen*, à vos pieds, la ville de Québec, *Québec City*. Magnifique ! *Wonderfull !* Admirez les plaines d'Abraham où se sont battus Wolfe et Montcalm en 1759. La place Royale, 1686. La citadelle, 1820-1832. Le parlement. Depuis sa création, en 1877, ce vénérable établissement m'a fourni un nombre impressionnant de clients. Le château Frontenac, 1890 et des poussières... À votre gauche, les chutes Montmorency. Droit devant, l'île d'Orléans.

Malgré l'entrain du conducteur, certains passagers commencent à regimber :

— J'ai faim !

— J'ai soif !

— J'ai chaud !

— J'ai envie !

— Je suis fatigué !

— Est-ce que c'est encore loin ?

— QUAND EST-CE QU'ON ARRI-I-I-I-I-VE ?

Le chauffeur fronce ses sourcils broussailleux.

— Allons, mes petits démons, c'est épatant, on arrive au lac Saint-Jean. En dessous, le village fantôme de Val-Jalbert. HOU! HOU! Dans votre dos, Saint-Félicien et son zoo.

L'autobus se faufile dans le fjord du Saguenay, puis rejoint le fleuve Saint-Laurent.

— Tadoussac! Le pays des baleines. Des baleines à bosse. Des baleines grises. Des bleues, des roses, des noires à pois blancs. En cherchant bien, vous trouverez peut-être des baleines de parapluie et des baleines de corset.

— Où ça? Où ça?

Les enfants s'élancent du même côté de l'allée. Le véhicule se met à donner de la gîte, comme un navire sur le point de sombrer.

Profitant de la pagaille, Raphaël s'approche de Julie et étouffe un cri. Il n'en croit pas ses yeux! Les lèvres de la stagiaire, comme celles de sa titulaire, sont soudées au moyen d'une fermeture éclair! Ligotées sur leur siège par des liens invisibles, Ginette et Julie lui lancent des regards suppliants.

— Tout le monde à sa place! ordonne le conducteur.

À contrecœur, Raphaël les abandonne pour retourner à son fauteuil.

Le chauffeur annonce la suite du programme:

— En route pour la Gaspésie! Le rocher Percé, le parc Forillon...

— On en a plein le pompon!

— Le mont Jacques-Cartier?

— Arrête de nous embêter!

Un vent de fronde souffle sur l'autobus.

— Les plages des îles de la Madeleine ?

— C'est pas la peine !

— La rivière Saint-Maurice ?

— Ça nous donne la jaunisse !

— L'Outaouais ? L'Abitibi ?

— Bonhomme, on te l'a dit, c'est fini !

Et la litanie enfantine reprend de plus belle :

— J'ai faim !

— J'ai envie !

— J'ai chaud !

— Je suis fatigué !

— J'ai soif !

— Est-ce que c'est encore loin ?

— QUAND EST-CE QU'ON ARRI-I-I-I-I-V-E

Raphaël observe ce désordre, cherchant désespérément un moyen de ramener ses compagnons à la réalité.

Du centre de l'autobus, des pelures d'orange lancées avec une belle énergie atterrissent sur la casquette du conducteur. En voulant se débarrasser de ces détritus, celui-ci fait basculer son couvre-chef, découvrant du coup deux hautes oreilles taillées en pointe.

La réaction des passagers du premier rang ne se fait pas attendre:

— Tonton Lulu a les oreilles pointues!

Bientôt, tout l'autobus reprend en chœur ces deux vers de mirliton:

— Tonton Lulu a les oreilles pointues!

Et voici qu'un petit malin se met en tête d'orchestrer ce refrain en canon. Sous sa direction, les chanteurs assis du côté droit de l'allée entonnent:

— Tonton Lulu...

Deux mots aussitôt repris par leurs vis-à-vis tandis que le premier groupe entame le deuxième vers.

Les enfants crient, hurlent, s'époumonent, remplissant l'habitacle d'une terrible cacophonie.

Emportée par ce vent d'indiscipline, Héloïse décide de procéder à une généreuse distribution de gomme à mâcher, assortie d'une chaleureuse invitation à concourir pour la plus grosse bulle.

Le silence s'installe dans le véhicule, le temps pour les participants de bien mastiquer la friandise et de la travailler consciencieusement afin d'obtenir une pâte lisse et malléable.

Une première salve se fait entendre, aussitôt suivie des protestations de spectateurs pleurnichards.

— Clovis Lachance, tu ne peux pas faire attention ? peste Béatrice. Regarde ce que tu as fait ! À cause de toi, mes nattes sont tout engluées.

— Toi, Martin Beaudoin, je te conseille d'aller jouer plus loin, s'exclame Mélanie, le poing menaçant.

Le chauffeur est diablement embarrassé. Il commence à en avoir plein les bottes de tout ce petit monde ! Ça lui apprendra à agir con-

tre sa nature et à jouer les généreux...

— Moi, j'en ai assez! déclare soudain Gabrielle, incommodée par de nouvelles nausées.

Sourde aux mises en garde de Raphaël, la fillette quitte son siège.

Dans son rétroviseur, le conducteur la voit remonter l'allée. Arrivée à sa hauteur, elle lui tire la manche.

— J'ai mal au cœur en autobus... Brp... Si vous n'arrêtez pas tout de suite... Brp... Je vais vomir.

Tonton Lulu s'impatiente.

— Tu ne peux pas être malade, nous ne sommes même plus sur la route.

Gabrielle pose une main sur sa bouche.

— C'est pareil. En bateau, j'ai le mal de mer. En avion, j'ai le mal de l'air. C'est pas de ma faute... Brp... C'est à cause de ma grand-mère.

— Qu'est-ce que ta mémé vient faire là-dedans ? réplique sèchement le conducteur, pressé de se débarrasser de la gamine.

— Il paraît que j'ai hérité ça d'elle, conclut spectaculairement la fillette en projetant un jet malodorant directement au pied du chauffeur horrifié.

Propagée par la chaleur ambiante, l'odeur nauséabonde se répand jusqu'à la dernière rangée de sièges.

Dans un généreux souci de faire diversion, la bande de Clovis se pince le nez pour entonner le succès numéro un au palmarès des autobus scolaires :

Moi, je connais une chanson
pour écœurer les gens
Moi, je connais une chanson
pour écœurer les gens
Moi, je connais une chanson
pour écœurer les gens…

Le conducteur ne sait plus où donner de la tête. Pour un peu, il retirerait leur bâillon aux deux enseignantes afin de leur demander le mode d'emploi de ces satanés petits monstres. Julie l'observe d'ailleurs avec une lueur amusée au fond de l'œil.

Piqué au vif, l'homme bombe le torse.

— Ce ne sont pas trente-trois gamins qui vont me faire tourner en bourrique. Ça suffit ! Terminées les gentillesses. À présent, je vais leur montrer de quel bois je me chauffe !

Sur ce, le chauffeur met brusquement le cap à l'ouest.

Héloïse lève la main.

— Monsieur !

— Quoi ?

— J'ai envie de pipi !

Le conducteur vire à l'écarlate.

— Je ne veux plus entendre un mot ! Motus et bouche cousue !

Effrayé par le mauvais sort jeté à Ginette et à Julie, Raphaël enfouit son visage dans son cache-nez.

5

RETOUR À LA CASE DÉPART

Dans l'autobus soudainement silencieux, Raphaël relève discrètement la tête. Horreur ! Tous ses camarades ont les lèvres cousues. Grossiers points de surjets pour les garçons, délicats points de broderie pour les filles.

Satisfait de son travail, le conducteur pousse un profond soupir de soulagement. Tout à son contentement, il ne voit pas Julie étirer péniblement une jambe en travers de l'allée. Lentement, très, très lentement, elle soulève son pied et, d'un coup sec, lui balance sa botte au visage. Vlan!

Surpris, le chauffeur lâche le volant pour se masser la joue. Raphaël profite de ce moment d'inattention pour bondir vers la stagiaire. D'un geste aussi rapide que discret, il arrache la fermeture éclair qui la bâillonnait, la glisse dans sa poche et retourne prestement à sa place tandis que l'autobus évite de justesse un clocher.

— Nous l'avons échappé belle! soupire tonton Lulu. Un vrai miracle, ma foi. Vous, la jeunette, si vous recommencez ça, je vous transforme en dinde de Noël et je vous jure que vous rôtirez jusqu'à la fin des temps.

Julie fixe le conducteur droit dans les yeux.

— Jésus ! Marie ! Joseph ! En voilà des manières ! Nom de Dieu, vous vous prenez pour qui, à la fin !?!? Arrêtez ce cirque, tout de suite, espèce de vieux bouc. Vous êtes démasqué.

L'effet est radical ! En entendant le nom de Dieu, le chauffeur perd complètement les pédales. Aux prises avec de terribles convulsions, il se transforme en diable cornu et griffu. Le charme est rompu. En moins de temps qu'il ne faut pour le dire, le grand Lucifer s'effondre, tel un boxeur hors de combat et disparaît sous les yeux exorbités des passagers.

Julie triomphe:

— Qu'est-ce que je t'avais dit, Ginette Guindon? J'avais raison de me méfier. Celui-là était trop poli pour être honnête!

L'autobus en perdition traverse le ciel de Montréal comme un météore. Le Stade olympique, le parc Lafontaine, les monuments défilent à une allure fulgurante!

Les enfants ont retrouvé la parole. Maintenant conscients du danger, ils poussent des cris d'effroi.

— On va tomber!

— J'ai peur!

— Maman-an-an-an-an!

— Je veux rentrer chez nous!

— J'ai mal au cœur!

Le véhicule fou rase la place Ville-Marie, pique droit sur la croix du Mont-Royal dont il sectionne la tête, puis plonge vers la ville.

Libérée de l'enchantement qui la clouait à son fauteuil, Dynamite s'empare énergiquement du volant et tente d'éviter l'écrasement.

Le lourd engin renverse deux cheminées, moissonne une douzaine d'antennes de télé. Julie et Raphaël font de leur mieux pour guider la conductrice :

— MacDo à deux heures.

— Arbres à dix heures.

— La tête entre les jambes ! commande la stagiaire. Notre quartier est en vue…

L'autobus perd deux roues, rase une clôture, écrabouille une cabane de jardin, glisse sur la rue dans une gerbe d'étincelles, rebondit comme une grosse sauterelle, fait un tête-à-queue et s'immobilise finalement devant l'école.

Les enfants se précipitent hors de l'autobus et courent se réfugier à l'intérieur du bâtiment. Ils sont encore sous le choc lorsque Mme la directrice fait irruption dans le hall.

— Que faites-vous ici ? La sortie est annulée. Vous devriez être en classe depuis dix minutes.

Raphaël n'en croit pas ses oreilles ! Il consulte sa montre. Neuf heures cinq. Le temps se serait-il arrêté ? Ou pire, serait-il en train de perdre la tête ? Le gamin ne sait plus quoi penser.

Il se tourne vers la rue. L'autobus a disparu !?!? Pourtant, il aurait juré…

— J'ai mal au cœur, se lamente qui vous savez.

— Ma tuque, j'ai perdu ma tuque, se désespère Clovis. Où est ma tuque ?

Comme dans un rêve, Raphaël revoit le bonnet de laine de Clovis plonger vers l'autoroute.

— Dans la neige, quelque part. J'ai vu le chauffeur s'en débarrasser en la jetant par la fenêtre de l'autobus.

— Tu n'es pas drôle, proteste Clovis.

— Ne l'écoute pas, intervient Héloïse, il raconte n'importe quoi.

Personne ne semble se rappeler quoi que ce soit. Personne, sauf...

Julie regarde Raphaël. Joignant son pouce et son index, elle les glisse d'une extrémité à l'autre de sa bouche.

Alors, sûr de lui, Raphaël enfonce la main dans sa poche et sourit... Sous ses doigts, il a senti un objet métallique... Une fermeture éclair.

TABLE DES MATIÈRES

Marie-Andrée Boucher Mativat

Marie-Andrée Boucher Mativat est native de la Mauricie et habite Laval. Mère de deux grands enfants, elle a autrefois connu les affres des interminables voyages en voiture entre la ville et la campagne. La guerre continuelle que sa fille et son fils se livraient sur la banquette arrière ne connaissait de trêve que lorsque Marie-Andrée leur racontait des légendes tirées du folklore québécois. Ainsi a lentement germé le scénario *d'Une sortie d'enfer*, une chasse-galerie en autobus scolaire, où les nerfs du grand Satan lui-même sont mis à rude épreuve par des petits voyageurs survoltés n'ayant qu'une question aux lèvres : *quand est-ce qu'on arriiiiiive?*

Collection Sésame

1. **L'idée de Saugrenue**
   Carmen Marois
2. **La chasse aux bigorneaux**
   Philippe Tisseyre
3. **Mes parents sont des monstres**
   Susanne Julien
   (palmarès de la Livromagie 1998/1999)
4. **Le cœur en compote**
   Gaétan Chagnon
5. **Les trois petits sagouins**
   Angèle Delaunois
6. **Le Pays des noms à coucher dehors**
   Francine Allard
7. **Grand-père est un ogre**
   Susanne Julien
8. **Voulez-vous m'épouser, mademoiselle Lemay?**
   Yanik Comeau
9. **Dans les filets de Cupidon**
   Marie-Andrée Boucher Mativat
10. **Le grand sauvetage**
    Claire Daignault
11. **La bulle baladeuse**
    Henriette Major
12. **Kaskabulles de Noël**
    Louise-Michelle Sauriol
13. **Opération Papillon**
    Jean-Pierre Guillet
14. **Le sourire de La Joconde**
    Marie-Andrée Boucher Mativat
15. **Une Charlotte en papillote**
    Hélène Grégoire (prix Cécile Gagnon 1999)
16. **Junior Poucet**
    Angèle Delaunois
17. **Où sont mes parents?**
    Alain M. Bergeron
18. **Pince-Nez, le crabe en conserve**
    François Barcelo
19. **Adieu, mamie!**
    Raymonde Lamothe
20. **Grand-mère est une sorcière**
    Susanne Julien
21. **Un cadeau empoisonné**
    Marie-Andrée Boucher Mativat
22. **Le monstre du lac Champlain**
    Jean-Pierre Guillet

23. **Tibère et Trouscaillon**
Laurent Chabin

24. **Une araignée au plafond**
Louise-Michelle Sauriol

25. **Coco**
Alain M. Bergeron

26. **Rocket Junior**
Pierre Roy

27. **Qui a volé les œufs ?**
Paul-Claude Delisle

28. **Vélofile et petites sirènes**
Nilma Saint-Gelais

29. **Le mystère des nuits blanches**
Andrée-Anne Gratton

30. **Le magicien ensorcelé**
Christine Bonenfant

31. **Terreur, le Cheval Merveilleux**
Martine Quentric-Séguy

32. **Chanel et Pacifique**
Dominique Giroux

33. **Mon oncle Dictionnaire**
Jean Béland

34. **Le fantôme du lac Vert**
Martine Valade

35. **Niouk, le petit loup**
Angèle Delaunois

36. **Les visiteurs des ténèbres**
Jean-Pierre Guillet

37. **Simon et Violette**
Andrée-Anne Gratton

38. **Sonate pour un violon**
Diane Groulx

39. **L'affaire Dafi**
Carole Muloin

40. **La soupe aux vers de terre**
Josée Corriveau

41. **Mes cousins sont des lutins**
Susanne Julien

42. **Espèce de Coco**
Alain M. Bergeron

43. **La fille du roi Janvier**
Cécile Gagnon

44. **Petits bonheurs**
Alain Raimbault

45. **Le voyage en Afrique de Chafouin**
Carl Dubé

46. **D'où viennent les livres ?**
Raymonde Painchaud

47. **Mon père est un vampire**
Susanne Julien

48. **Le chat de Windigo**
Marie-Andrée Boucher Mativat

49. **Jérémie et le vent du large**
Louise-Michelle Sauriol

50. **Le chat qui mangeait des ombres**
Christine Bonenfant

51. **Le secret de Simon**
Andrée-Anne Gratton

52. **Super Coco**
Alain M. Bergeron

- JAN. 2006

RELIURE LEDUC INC.
450-460-2105